a Journey to Naples and Pompeii

© 2002
Tutti i diritti spettano alla
Palombi Editori
Via Germanico, 107
00192 Roma
e
Danièle Ohnheiser

Progettazione e realizzazione grafica
e redazionale a cura della Casa Editrice

Traduzioni di Isabella Ceccarini, Stephen Scott

ISBN 88-7621-192-6

a Journey to Naples and Pompeii

with
Vivant Denon, Dickens, Goethe, Dumas

Palombi Editori

Danièle Ohnheiser è nata in Francia.
Dopo gli studi alla scuola di architettura del paesaggio
di Versailles, si è dedicata alla pittura, specializzandosi
nella tecnica ad acquarello. Vive a Roma dal 1992

Volumi già pubblicati
Description de Marseille
Voyage à Rome
Promenade à Villa Borghese
Voyage à Florence

Napoli – gli dicevo – è la più misteriosa città d'Europa, è la sola città del mondo antico che non sia perita come Ilio, come Ninive, come Babilonia.
È la sola città del mondo che non è affondata nell'immane naufragio della civiltà antica.
Napoli è una Pompei che non è mai stata sepolta. Non è una città: è un mondo.
Il mondo antico, precristiano, rimasto intatto alla superficie del mondo moderno.

Naples is the most mysterious city in Europe, the only city of the ancient world not to have perished like Troy, Nineveh or Babylon.
It is the only city in the world that did not sink in the immense shipwreck of the civilisation of antiquity.
Naples is a Pompéi that was never buried. It is not a city: it is a world.
The ancient, pre-Christian world, remained unscathed on the surface of the modern world.

CURZIO MALAPARTE

to Olivier

Arrivammo a Napoli sul far della notte. I diversi rumori, che echeggiavano nelle sue strade larghe e sulle sue piazze popolose ci assordavano; i riflessi del mare e le luci che rischiaravano le nicchie delle madonne ci abbagliavano... Mi sembrava di essere passato in un altro mondo; mi addormentai di ebbrezza più che di sonno.

L'indomani mattina mi gettai su un calesse, e cominciai ad attraversare questa città incantevole; ero affascinato. Nessuna città mi ha mai procurato questa eccitazione. Roma era un monastero. Napoli un Paradiso.

We reached Naples at nightfall. The different noises resounding in the wide streets and crowded squares were deafening; the lights glimmering off the sea and those in the niches of the Madonnas were blinding. It seemed I had entered another world; I fell asleep, more inebriated than sleepy. Next day, I jumped into a carriage and rode around this bewitching town; I was jinxed. No other city had ever inebriated me like this. Rome was a monastery. Naples is an Eden.

"Ben tornati e sia lodato il Cielo!" dice con tutto il suo cuore l'allegro vetturino, che ci ha fatto compagnia da Pisa a qui! E via con i suoi scalpitanti cavalli, nella Napoli che dorme! Essa si sveglia nuovamente a Pulcinella e scippatori, buffi e mendicanti, stracci, pupazzi, fiori, luce, sporcizia, e degrado universale; arieggiando il suo costume da Arlecchino nei raggi di sole, l'indomani e tutti i giorni; cantando, soffrendo la fame, ballando, giocando, sulle rive del mare; e lasciando ogni fatica alla montagna fiammeggiante, che è sempre al lavoro.

"Well returned, and Heaven be praised!" as the cheerful vetturino, who has borne us company all the way from Pisa, says with all his heart! And away with his ready horses, into sleeping Naples! It wakes again to Policinelli and pickpockets, buffo singers and beggars, rags, puppets, flowers, brightness, dirt, and universal degradation; airing its Harlequin suit in the sunshine, next day and every day; singing, starving, dancing, gaming, on the sea-shore; and leaving all labour to the burning mountain, which is ever at his work.

Per ritornare al popolino di Napoli, è interessante osservare che, come fanno i ragazzi più vispi quando si comanda loro qualche cosa, anche i napoletani finiscono con l'assolvere il loro compito, ma ne traggono sempre argomento per scherzarvi sopra. Tutta la classe popolana è di spirito vivacissimo ed è dotata di un intuito rapido ed esatto: il suo linguaggio deve essere figurato, le sue trovate acute e mordaci.

To return on the common people again, they are like children who, when one gives them a job to do, treat it as a job but at the same time as an opportunity for having some fun. They are lively, open and sharply observant. I am told their speech is full of imagery, and they are wit trenchant.

Napoli, come tutte le cose umane, subisce l'influenza di una doppia forza che regge il suo destino: ha il suo cattivo pensiero che la perseguita, e il suo buon nume che la protegge; ha il suo demonio che vuole corromperla, e il suo protettore che spera di salvarla.

La sua nemica è la jettatura; il suo protettore è san Gennaro. Se san Gennaro non fosse in cielo, da tempo la jettatura avrebbe annientato Napoli; se la jettatura non esistesse sulla terra, da tempo san Gennaro avrebbe fatto di Napoli la regina del mondo.

Quando uno straniero arriva a Napoli comincia con il ridere della jettatura, poi poco a poco se ne preoccupa; infine, dopo tre mesi di soggiorno, lo vedete coperto di corni dalla testa ai piedi, e la mano destra perennemente contratta.

Naples, like all human things, is subject to a double force which governs her destiny: she has her bad principle pursuing her, and her good genie to protect her…

Her enemy is the jettatura, her guardian is St. Januarius.

If St. Januarius were not in heaven, the jettatura would have annihilated Naples long ago; if there were no jettatura on earth, St. Januarius would long ago have made Naples the queen of the world.

When a foreigner reaches Naples, at first he laughs at the jettatura, then little by little he starts worrying about it; finally, after a three month stay, you will see him covered in horns from head to foot, with his right hand permanently clenched.

Ecco il momento di accennare a un altro svago caratteristico dei napoletani; vale a dire i presepi, che a Natale si vedono in tutte le chiese e che rappresentano propriamente l'adorazione dei pastori, degli angeli e dei re magi, più o meno al completo, in gruppi eleganti e sfarzosi. In questa Napoli gioconda, tale rappresentazione è arrivata fin sulle terrazze delle case.

Si costruisce un leggero palchetto a forma di capanna, tutto adorno di alberi e di alberelli sempre verdi; e lì ci si mette la Madonna, il Bambino Gesù e tutti i personaggi, compresi quelli che si librano in aria, sontuosamente vestiti per la festa: un ricco guardaroba, per cui le famiglie spendono somme considerevoli. Ma ciò che conferisce a tutto lo spettacolo una nota di grazia incomparabile è lo sfondo, in cui s'incornicia il Vesuvio con i suoi dintorni.

This reminds me that I have forgotten to tell you about another characteristic of the Neapolitans, their love of crèches, or presepe, which, at Christmas, can be seen in all their churches. These consist of groups of large, sumptuous figures representing the adoration of the shepherds, the angels and the three Magi. In this gay Naples the representation has climbed up on to the flat roof tops. A light framework, like a hut, is decorated with trees and evergreen shrubs. In it, the Mother of God, the Infant and all the others stand or float, dressed up most gorgeously in a wardrobe on which the family spends a large sum. The background – Vesuvius and all the surrounding countryside – gives the whole thing an incomparable majesty.

Per tornare a Napoli, potrei darvene un'idea perfetta in quattro parole, dicendovi che questa città è un Paradiso abitato da Demoni.

To get back to Naples, I could give you a perfect idea of it in just a few words by saying that this city is a Paradise inhabited by Devils.

Un'altra usanza singolare è quella di sparare mortaretti, per tutta questa notte, davanti ad ogni Madonna. Non c'è strada, per quanto piccola essa sia, che non abbia le sue quattro o cinque Madonne, e non ce n'è una in onore della quale non si sparino quattro o cinquecento mortaretti.

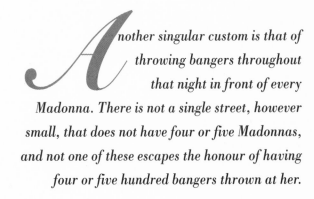

Another singular custom is that of throwing bangers throughout that night in front of every Madonna. There is not a single street, however small, that does not have four or five Madonnas, and not one of these escapes the honour of having four or five hundred bangers thrown at her.

Davanti a Gesù Nuovo, e davanti al convento di San Domenico grande, ci sono due guglie, o obelischi, la cui estrema magnificenza non serve che a evidenziarne il ridicolo. Gli architetti sembrano aver fatto tutti i loro sforzi per discostarsi in uguale misura dalla leggerezza e dall'eleganza gotiche, come pure dalla nobiltà dell'architettura greca; non è che un ammasso di sculture e di decorazioni in marmo, senza progetto, senza scopo, che termina più o meno a punta, sostenendo una Vergine troppo dorata. Ci si potrebbe stupire del fatto che non siano state dorate anche tutte queste decorazioni in marmo, per completare tutta l'inutilità di questa magnificenza.

In front of Gesù Nuovo and in front of the Convent of San Domenico Grande, there are two needles or obelisks whose extreme magnificence serves only to heighten the ridiculous. Architects here seem to have deployed all their efforts to distance themselves as much from the lightness and elegance of the Gothic style, as from the nobility of Greek architecture; it is just a mass of marble sculptures and ornaments, without a plan, without an aim, ending in a sort of pinnacle bearing a well-gilded Madonna. One might well be astonished that they did not have all the marble ornaments gilded too, just to complete the entire uselessness of this magnificence.

*T*utto sommato, non è mica male che
vi siano tanti santi: ogni buon
credente può scegliersi il suo e
rivolgersi con piena fiducia a quello
che più gli conviene.
Oggi è stato il mio santo ed io l'ho festeggiato,
a tutto suo onore, con compunzione gioconda,
secondo il suo esempio e la sua dottrina.

*T*here is a good deal to be said for
having many saints, for then
each believer can choose his own
and put his trust in the one who
most appeals to him.
Today was the feast day of my favourite saint,
and, following his example and teaching,
I celebrated it with devotion and joy.

*I*ntanto, poiché abbiamo avuto la fortuna di vedere e di studiare gli ultimi resti di questa grande stirpe che langue, affrettiamoci, per aiutare gli studiosi nelle loro future ricerche antropologiche, a dire cosa sia il lazzarone.

Il lazzarone è il figlio primogenito della natura: a lui appartiene il creato che sorride. Gli altri uomini hanno una casa, gli altri uomini hanno una villa, gli altri uomini hanno un palazzo; lui, il lazzarone, ha il mondo.

Il lazzarone non ha padroni, il lazzarone non ha leggi; il lazzarone è al di fuori di tutte le esigenze sociali; dorme quando ha sonno, mangia quando ha fame, beve quando ha sete. Le altre persone si riposano quando sono stanche di lavorare; lui, al contrario, quando è stanco di riposare, lavora.

In the meantime, since we have been lucky enough to see and study the last remains of this great race in decline, let us hasten, for the benefit of future scholars in their anthropological investigations,

*T*to describe the lazzarone.

The lazzarone is the eldest son of nature: the smiling creation is his. Other men have a house, other men have a villa, other men have a palace; the lazzarone has the world.

The lazzarone has no master, the lazzarone has no laws; the lazzarone is beyond all social requirements; he sleeps when he is sleepy, eats when he is hungry, drinks when he is thirsty. Others rest when they are tired of working, he, on the other hand, works when he is weary of resting.

Ora, il lazzarone ha molti dei vizi dell'uomo come si conviene. Uno dei suoi vizi è amare i piaceri. I piaceri non gli mancano… Ha l'inglese. Accidenti! abbiamo dimenticato l'Inglese.

L'Inglese che gli procura non solo piacere, ma denaro; l'Inglese, la sua cosa, il suo bene, la sua proprietà; l'Inglese, che precede per mostrargli la strada, o che segue per rubargli il fazzoletto; l'Inglese, che lo getta nel mare di denari che lui recupera tuffandosi; l'Inglese, infine, che accompagna nelle sue gite a Pozzuoli, a Castellammare, a Capri e a Pompei. Perché l'Inglese è sistematicamente originale: l'Inglese talora rifiuta la guida accreditata e il cicerone per gruppi; l'Inglese prende il primo lazzarone venuto, senza dubbio perché l'Inglese ha un'attrazione istintiva per il lazzarone, come il lazzarone ha una simpatia calcolata per l'Inglese.

Now the lazzarone has many of the vices of the gentleman. One of his vices is to love pleasures. He has no lack of pleasures.

He has the Englishman. Dammit! We forgot the Englishman. The Englishman, who procures him not only pleasure, but also money; the Englishman, his thing, his asset, his property; the Englishman whom he precedes, to show him the way or whom he follows to steal his handkerchief; the Englishman who throws coins into the sea for him to dive for and retrieve; the Englishman, finally, whom he takes on excursions to Pozzuoli, Castellamare, Capri and Pompeii. For the Englishman is a natural eccentric: the Englishman sometimes refuses the licensed guide, the numbered cicerone; the Englishman takes the first lazzarone around, probably because the Englishman has a natural attraction for the lazzarone, just as the lazzarone has a calculated affection for the Englishman.

Il 16 dicembre andai nella cattedrale di San Gennaro. Era il giorno dell'anniversario del celebre miracolo del santo, che fermò improvvisamente la famosa eruzione del Vesuvio del 1767; cosa che accrebbe molto l'efficacia che già gli si conosceva per il fuoco. In un primo momento fui attirato verso la cappella dalle grida della gente. Si procedeva al miracolo della liquefazione del suo sangue, che tutti sanno che fu raccolto in una boccetta da una donna di Pozzuoli. Questo sangue, che normalmente è coagulato, si liquefà regolarmente due volte l'anno, e talvolta una terza per benevolenza, e particolarmente per testimoniare la protezione speciale che questo santo accorda ai napoletani, dei quali fu l'apostolo. Niente è più curioso dell'impazienza di veder realizzare questo miracolo. Le donne si rivolgono al santo ad alta voce; lo spingono, gridano; si attribuiscono, ognuna in particolare, o il successo di questo miracolo, o la causa di ciò che non avviene. Esse stanno sempre tra la gioia eccessiva e il dolore che somiglia alla disperazione.

On 16 December, I went to the cathedral of St. Januarius. It was the anniversary of this saint's renowned miracle which suddenly stopped the eruption of Vesuvius in 1767; thus greatly increasing the effectiveness for which he was already famous with regard to fire. I was first drawn to his chapel by the cries of the people. The occasion was the miracle of the liquefaction of his blood which, as everyone knows, was collected in phial by a lady from Pozzuoli. This blood, which is normally congealed, regularly liquefies twice a year, occasionally three times as a favour, and notably as a proof of the protection the saint grants to Neapolitans, whose apostle he was. Nothing is more curious than the impatience of those waiting to see the miracle happen. The women speak aloud to the saint, pressing him, shouting at him; attributing to themselves, each individually, either the success of the miracle or the reason for which it is not working. They ceaselessly fluctuate between an excessive joy or a sorrow that resembles despair.

Strade strette in discesa, con i tetti che si toccano, e la biancheria, e l'umidità, e l'odore nauseante. Tutta la vita in facciata. Balconcini sospesi a tutte le finestre, e le donne, i bambini sui balconi, quando non sono in strada. Il paniere appeso all'estremità di una corda per le provviste; la donna si sporge, grida al venditore quello che vuole, e quanto, mette i soldi nel paniere, lo cala, e il venditore a sua volta mette la mercanzia che risale. Donne accomodate sui balconi cuciono, si pettinano. Ma soprattutto in strada: si fa tutto, ci si lava, ci si spulcia, ci si veste, si mangia, si passano giornate intere. E cibo dappertutto nelle piccole vetture, illuminate la sera da grosse lanterne quadrate, sulle bancarelle, sui tavolini, illuminati nello stesso modo. Melagrane, frutta, frittura, pesce, frutti di mare. Infine vivande pronte, che trascinano in mezzo alla calca e permettono di mangiare là.

The narrow steep streets; where the roofs meet, the hanging laundry, the humidity and the nauseous stench. Life is all out-doors. Light balconies propped up under every window, and the women and children are on these balconies when they are not down in the street. The shopping basket comes down on the end of a cord: the woman shouts down to tell the grocer what she wants and how much, puts the money in the basket, lowers it, the grocer puts the goods in the basket and up it goes. Women installed on their balconies to sew, to comb their hair. But especially in the street: everything happens there, one washes, one de-fleas, one eats, one spends whole days there. And food everywhere, on little barrows, lit up by large square lanterns in the evening, on stalls, small tables, all lit up in the same way. Pomegranates, fruit, fried delicacies, fish, shellfish. Ready-cooked food, in fact, strewn around in the midst of the crowd to be eaten there and then.

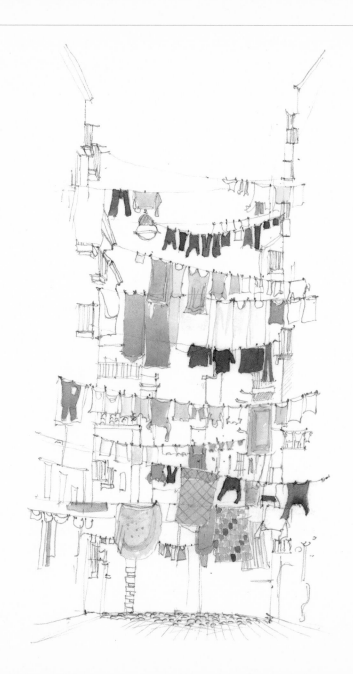

C'è un aspetto straordinario della vita di Napoli, al quale potremmo dare uno sguardo prima di proseguire: le lotterie. Prevalgono in tutta l'Italia, ma qui sono particolarmente evidenti, nei loro effetti e nella loro influenza. Si fa l'estrazione ogni domenica. Si mettono cento numeri – dall'uno al cento inclusi – in una scatola. Cinque vengono estratti. Quelli sono i premi. Io compro cinque numeri. Se ne esce uno vinco un piccolo premio. Se due, qualche centinaio di volte la mia puntata. Se tre, tremila e cinquecento volte la mia puntata. Io punto (o, come dicono loro, gioco) quel che posso sui miei numeri, e compro i numeri che credo. Ogni ufficio della lotteria ha un libro, un Indovino Universale per Lotterie – la smorfia –, dove viene menzionato ogni possibile evento affiancato da un numero. Andando verso l'ufficio della lotteria ci scontriamo con un uomo nero. Quando arriviamo, con tono grave diciamo "La Smorfia". Ci viene passato da di là dal banco, con fare serio. Guardiamo l'uomo nero. È un tal numero. "Mi dia quello". Guardiamo lo scontrarsi con qualcuno per strada. È un tal numero. "Mi dia quello". Cerchiamo il nome della strada. "Mi dia quello". E abbiamo così i nostri tre numeri.

There is an extraordinary feature in the real life of Naples, at which we may take a glance before we go – the Lotteries. They prevail in most parts of Italy, but are particularly obvious, in their effect and influences, here. They are drawn every Saturday. One hundred numbers – from one to a hundred, inclusive – are put into a box. Five are drawn. Those are the prizes. I buy three numbers. If one of them come up, I win a small prize. If two, some hundred of times my stake. If three, three thousand five hundred times my stake. I stake (or play as they call it) what I can upon my numbers, and buy what numbers I please. Every lottery office keeps a printed book, an Universal Lottery Diviner, where every possible accident and circumstance is provided for, and has a number against it. On our way to the lottery office, we run against a black man. When we get there, we say gravely, " The Diviner". It is handed over the counter, as a serious matter of business. We look at black man. Such a number. "Give us that". We look at running against a person in the street. "Give us that". We look at the name of the street itself. "Give us that". Now, we have our three numbers.

Il grandissimo gusto che c'è a Napoli per la musica riunisce spesso in una casa diverse persone per sentirla suonare: è ciò che chiamiamo Accademie. Le donne dell'opera e i castrati vi sono ricevuti per il loro talento. Li si ascolta con piacere e mi è anche sembrato che siano viziati proprio come in Francia, altro difetto molto grande in uno Stato.

Prediligiamo le arti, incoraggiamole, onoriamole, ma lasciamo gli artisti al loro posto. Se li avvicinate a voi, presto si allontanano da se stessi e una volta che li avete abituati ad esservi uguali, l'egoismo, che fa credere loro che questi riguardi siano loro dovuti indipendentemente dal talento, li rende presto pigri e impertinenti. Dunque, le arti non possono che perderne. Desidero che si onorino gli artisti; trovo anche che in Europa si sia ben lontani dal ricompensarli come meritano, ma voglio che sempre, davanti al loro talento, si convincano che si magnifica solo il talento, e non l'uomo. Cento luigi di più e una cena in meno, e vedrete fiorire le arti e scomparire l'impertinenza.

The extreme liking for music in Naples often brings several people together in a house to hear it performed: these are referred to as Academies. Women opera singers and castrati are accepted for their talent. They are listened to with pleasure and it even seemed to me that they are as spoilt as in France, another great defect in a State. Let us cherish the arts, encourage them, honour them, but leave artists in their place. If you bring them close to you, they soon enough forget themselves, and once you accustom them to being your equal, selfishness, which makes them think that these attentions are theirs regardless of their talents, quickly makes them lazy and impertinent. The arts can only be impoverished by this. I want artists to be honoured; I even find that in Europe we are far from rewarding them as they deserve, but I want them always, with their talents, to be convinced that what is incensed is only the talent and not the man. Give them a hundred more gold coins and one less meal, and you will see the arts flourish and impertinence disappear.

Rossini era appena arrivato a Napoli, preceduto da una grande fama. La prima persona che incontrò scendendo dalla carrozza fu, come ci si rende ben conto, l'impresario del San Carlo. Barbaia andò incontro al maestro con le braccia e il cuore aperti e, senza dargli il tempo di fare un passo né di pronunciare una parola:

Vengo, disse, a farti tre offerte, e spero che non ne rifiuterai nessuna.

Ascolto, rispose Rossini con quel sottile sorriso che sapete.

Offro il mio palazzo a te e al tuo seguito.

Accetto.

Offro la mia tavola a te e ai tuoi amici.

Accetto.

Ti offro di scrivere una nuova opera per me e per il mio teatro.

Non accetto.

Come! Rifiuti di lavorare per me?

Né per voi né per nessuno altro. Ne ho abbastanza della musica.

Sei pazzo, mio caro.

È come ho l'onore di dirvi.

E che vieni a fare a Napoli?

Vengo a mangiare maccheroni e a prendere gelati.

È la mia passione.

Ti farò preparare dei gelati dal mio fabbricante di bibite, che è il primo di Toledo, e ti farò io stesso dei maccheroni di cui poi mi saprai dire.

Diamine! La questione è grave.

Ma tu mi darai un'opera in cambio?

Vedremo.

Prendi un mese, due mesi, sei mesi, tutto il tempo che desideri.

Vada per sei mesi.

D'accordo.

Andiamo a cena.

Rossini had just arrived in Naples, already preceded by a great reputation. The first person he met as he alighted from his carriage was, as we can well imagine, the impresario of San Carlo. Barbaia went to greet the maestro with open arms and heart and, without letting him take one step or say a word, he said:

I come to make you three offers and I hope that you will refuse none of them.

I am listening, answered Rossini, with that subtle smile that you know.

I offer my town house to you and your entourage.

I accept.

I offer my table to you and your friends.

I accept.

I offer you to write a new opera for me and my theatre.

I no longer accept.

What! You refuse to work for me?

Neither for you or for anybody. I want no more music.

You are mad, my dear man.

It is as I say.

And what have you come to Naples for?

I came here to eat macaroni and partake of ice-cream.

It's my passion.

I will have ice-cream prepared for you by my lemonade maker, the best in Toledo, and I shall make you macaroni myself that you will never forget.

Damnation! This is becoming serious.

But will you give me an opera in exchange?

We shall see.

Take a month, two months, six months, all the time you want.

All right for six months.

It's agreed.

Let us go to supper.

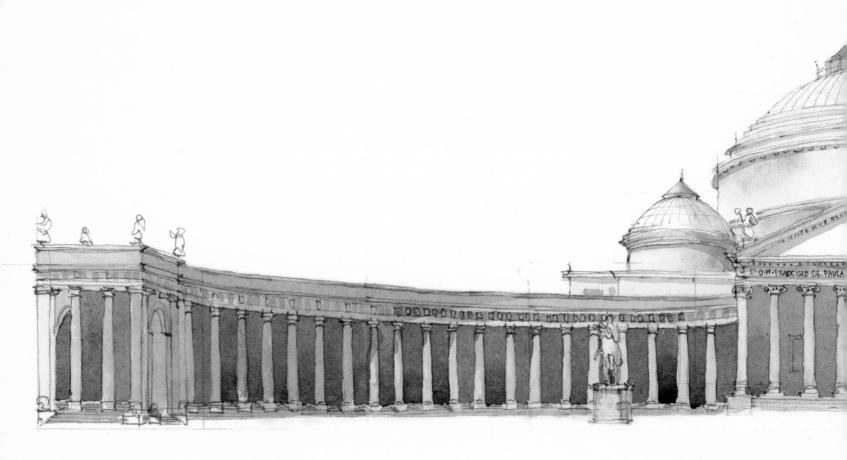

Il castello di Sant'Elmo e un'altra più vicina mole di fortezza si levavano maestosi di fronte, e il mare avanzava nella baia in lunghe onde sfavillanti. L'orizzonte limpido e nitido contro un cielo meridionale splendente di sole (messo in risalto da nuvole nere al di sopra della fortezza) e un paio di vele, piccole e lontane, scure e nette contro il mare e il cielo. Era quella l'unica parte del panorama ad essere calda e mirabile per tono ed effetto; il resto era d'aspetto invernale e piuttosto tetro, e non produceva un'impressione degna di quel che lo componeva; ma io ero molto felice mentre andavo su e giù lungo la banchina.

The castle of St. Elmo and another nearer mass of fortress rose nobly opposite, and the sea floated into the bay in long bright swells. The horizon clear and sharp against a sunny southern sky (set off by grey clouds above the fortress) and one or two sails, small and far off, black and clear against the sea and sky. This was the only part of the panorama that was warm or elevated in tone and effect; the rest was wintry in aspect and rather gloomy, and did not produce an impression worthy of its objects; but I was very happy walking up and down the quay.

Wide streets, large well-paved squares, vast houses covered in terraces, a hilly and tortuous terrain – with hanging gardens and crowned buildings, bring the countryside into the city and carry the city out to the countryside – varied and superb prospects of the sea, the plain and the mountains, with an alternation of views of abundance, laughter and terror, always under the purest of skies and in a happy atmosphere, make Naples one of the most beautiful and delightful cities in the world.

Grandi strade, grandi piazze ben lastricate, grandi case con le terrazze, un terreno montuoso e tormentato – che regala giardini pensili, corona gli edifici, porta la campagna nella città e la città nella campagna –, vari e superbi posti da cui ammirare il mare, la pianura e le montagne, infine scorci alternativamente rigogliosi, ridenti e straordinari, con un cielo sempre terso e un buon clima, fanno di Napoli una delle più belle e più incantevoli città del mondo.

*I*nnanzi tutto e sopra ogni cosa c'era la sensazione che, con gli angusti limiti delle avventure trascorse, non avevo ancora mai avuto una tale impressione di quel che poteva essere l'estate al sud o il sud d'estate.

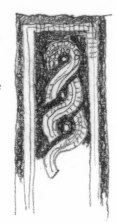

*B*efore and above all was the sense that, with the narrow limits of past adventures, I had never yet had such an impression of what summer could be in the south or the south in the summer.

Se c'è un posto sulla terra dove si possa essere felici è il molo di Santa Lucia. Dalla sua finestra si vede con un colpo d'occhio tutta la baia: davanti il Vesuvio, la costa di Castellammare e di Sorrento; a sinistra, la curva che la riva descrive da Napoli a Portici; a destra, lo stretto della Campanella, attraverso il quale le navi vanno in Sicilia, e Capri, sempre avvolta nel suo velo di garza blu. Il mare, che si infrange senza sosta sui muraglioni di Castel dell'Ovo, la sera vi culla con il rumore delle onde. Le fregate ormeggiate salutano a colpi di cannone i vascelli che entrano. Battelli a vapore vanno e vengono più volte al giorno, e voi seguite con lo sguardo le loro colonne di fumo in lontananza. Piccole vele bianche solcano la rada. La sera, pescatori con le fiaccole scivolano lungo la costa come lucciole. Al mattino, il sole, riflesso dall'acqua del mare, manda serpenti di fuoco a correre sui muri e sul soffitto della vostra camera. Il Vesuvio sembra inventare mille civetterie.

If there is a place on earth where one can be happy, it is on the Santa Lucia waterfront. In one glance from one's window, one sees the whole bay: straight ahead, Vesuvius and the coast of Castellammare and Sorrento; to the left, the shore curves round from Naples to Portici; to the right, is the strait of the Campanella, through which ships sail to Sicily, and Capri, always wrapped in her hazy blue veil. In the evening, the sea, lapping ceaselessly at the walls of the Castel dell'Ovo, lulls you to the sound of its waves. The frigates moored in the port salute the arriving vessels with their cannons. Steamboats come and go several times a day, and your eye follows their columns of smoke for a great distance. Little white sails shuttle back and forth in the harbour. In the evening, it is the torch-light fishermen who slip along the coast like glow-worms. In the morning, the sun, reflected by the sea-water, sends glittering serpents of fire slithering over the walls and ceilings of your room. Vesuvius seems to change its make-up a thousand times a day.

"Vedi Napoli e poi muori". Ebbene, non so se si debba necessariamente morire dopo averla semplicemente vista, ma il tentare di viverci potrebbe dimostrarsi un po' diverso. Vedere Napoli come la vedemmo noi alle prime luci dell'alba e in lontananza dai pendii del Vesuvio è vedere un'immagine di grande bellezza. A quella distanza le sporche costruzioni sembravano bianche; e così, fila dopo fila, balconi, finestre e tetti si ammucchiavano gli uni sugli altri dal mare blu fino a dove il colossale castello di Sant'Elmo copriva questa imponente piramide bianca e dava all'immagine simmetria, enfasi e completezza. E quando i gigli cedevano il passo alle rose – quando si arrossiva al primo bacio del sole – era bella oltre ogni dire. È allora che si potrebbe ben dire "Vedi Napoli e poi muori".

"See Naples and die". Well, I do not know that one would necessarily die after merely seeing it, but to attempt to live there might turn out a little differently. To see Naples as we saw it in the early dawn from far up the side of Vesuvius, is to see a picture of wonderful beauty. At that distance its dingy buildings looked white; and so – rank in rank of balconies, windows and roofs – they piled themselves up from the blue ocean till the colossal castle of St. Elmo, topped the grand white pyramid and gave the picture symmetry, emphasis and completeness. And when the lilies turned to roses – when it blushed under the sun's first kiss – it was beautiful beyond all description. One might well say the "See Naples and die".

Secondo me, Napoli è l'unica città italiana che si senta veramente la sua capitale; il movimento, l'affluenza di gente, l'abbondanza e il fragore continuo degli equipaggi, una corte nelle forme e abbastanza brillante, il tenore e l'aria sublime che hanno i grandi signori: tutto contribuisce a darle quell'aspetto vivo e animato che hanno Parigi e Londra, e che non si trova a Roma.

To me, Naples is the only city in Italy that really feels like its capital. The movement, the rush of people, the abundance and the endless racket of horse-drawn carriages, a formal and quite scintillating court, the train and magnificence of the grandees: everything contributes to giving it the same lively animated appearance you find in Paris and London, but not at all in Rome.

Il Golfo era al suo meglio. Nessuna veduta, nemmeno estiva, avrebbe potuto essere più bella di quella che vedemmo noi. Il sole brillava; il cielo era azzurro pallido; il mare verde, in rapido movimento, si alzava e si abbassava sotto la nostra prua con moto continuo. A un certo punto ci passò accanto una barca da pesca, muovendosi veloce più per la marea che per il vento, e ammirammo la brillante tonalità della sua contro randa arancione. La montagna di Ischia sorgeva dal mare come una grande piramide che il tempo ha deturpato, grande, nera e frastagliata. Mentre la luce gradualmente impallidiva, così i suoi scuri contorni assumevano un aspetto più sinistro, distaccato, remoto, quasi apocalittico, gettando il capo al cielo, la meno arrendevole delle isole del Golfo.

The Gulf was at its loveliest. No view even in summer could have been more beautiful than the one we saw. The sun shone; the sky was a pale azure, the green, rapidly-moving sea rose and fell beneath our bows with a continually swelling motion. Once a fishing vessel passed us, moving swiftly, thanks rather to the tide than to the breeze than blowing, and we admired the brilliant hue of her orange topsail. The mountain on Ischia rose out of the sea like some great pyramid which time has defaced, large, black and jagged. As the light gradually paled so its dark outline would take on a more sinister aspect, aloof, remote, almost apocalyptic, tossing its head to the sky, the least tractable of all the islands in the Gulf.

In cima sono i templi, quello della Giustizia, di Venere, di Augusto, di Mercurio, l'edificio di Eumachia, altri templi ancora incompiuti; più lontano, sempre su un'altura, quello di Nettuno. Avevano così tutti i loro dei sulla cima, nell'aria pura che era anch'essa una divinità. Il foro e la curia sono accanto; un bel posto per deliberare e fare sacrifici! In lontananza si scorgono le grandi sagome sfumate delle montagne, le teste tranquille dei pini a ombrello, poi a oriente, sotto la bruma bionda piena di sole, le forme sottili degli alberi e la diversità delle colture. Ci si gira, e senza sforzo di immaginazione si ricostruiscono quei templi. Quelle colonne, quei capitelli corinzi, quell'ordine semplice, quei lembi d'azzurro ritagliati dai fusti marmorei, quale impressione deve lasciare nell'animo un tale spettacolo contemplato sin dall'infanzia! Una città allora era una vera patria, e non come oggi un insieme amministrativo di palazzi arredati.

On the summit stand the temples, of Justice, of Venus, of Augustus, of Mercury, the building of Eumachia and other unfinished temples; further on, also on a hill, is the temple of Neptune. In this way they had all their gods on the heights, in the pure air which itself was a god. The forum and the curia were alongside; a fine place to deliberate and make sacrifices! One glimpses in the distance the vaporous outlines of the mountains, the calm heads of the parasol pines, and then to the east, under the blond sun-filled haze, the fine forms of the trees and the diversity of the crops. Turning around, it requires no effort of imagination to rebuild these temples. The columns, the Corinthian capitals, the simple ordering, the blue of the sky framed by shafts of marble; what an impression such a sight viewed since childhood must have made on the soul! In those days a city was a real fatherland, and not as today, an administrative jumble of boarding houses.

Che mi importa oggi di Rouen o di Limoges? Vi possiedo una casa in un mucchio di altre case; la vita viene da Parigi; Parigi stessa cos'è, se non un altro mucchio di case, la cui vita viene da un ufficio dove ci sono cartelle e impiegati? Qui, al contrario, gli uomini facevano delle loro città il loro gioiello e il loro scrigno; l'immagine della loro acropoli, con i suoi templi bianchi nella luce, li seguiva dovunque; i villaggi della nostra Gallia, la Germania, tutta la barbarie del Nord non sembrava loro che cloaca e disordine. Ai loro occhi, chi non aveva una città non era veramente un uomo, ma un mezzo bruto, quasi una bestia, animale da preda di cui non si poteva fare che un animale da soma. La città è un'istituzione unica, il frutto di un'idea sovrana che ha regolato per dodici secoli tutte le azioni umane; è la grande invenzione attraverso la quale l'uomo è uscito dalla barbarie primitiva. Essa è stata nello stesso tempo il castello feudale e la chiesa; non ci sono parole per dire quanto l'uomo l'ha amata, come essa abbia raccontato e racchiuso tutta la sua vita.

What do Rouen or Limoges matter to me today? I have a dwelling there, inside a mass of other dwellings. Life comes from Paris; and what is Paris itself other than another mass of dwellings whose life comes from an office with filing boxes and employees? On the contrary, the people here made their city into their jewel, their treasure casket; the image of their acropolis, its temples white in the light, followed them everywhere; to them the villages of our Gaul, Germany, the whole barbaric north, seemed nothing but gutters and chaos. To them, anyone without a city was not truly human, was a semi-beast, practically an animal, a beast of prey which one could only turn into a beast of burden. The city is a unique institution, the fruit of a sovereign idea which ruled human activity for twelve centuries; it was the great invention through which man emerged from primitive savagery. It became both feudal castle and church. The degree to which man has loved it, the way he brought everything back to it and locked his life into it, no words can say.

Mettetevi in fondo alla grande piazza del mercato di Pompei, e osservate le silenziose strade, attraverso i templi diroccati di Giove e Iside, oltre le case spaccate con i loro più intimi santuari esposti al giorno, sino al Monte Vesuvio, lumeggiante e innevato nella tranquilla lontananza; e perdete la dimensione del tempo, e pensate ad altre cose, nella strana e malinconica sensazione di vedere il Distrutto e il Distruttore creare questa tranquilla immagine al sole. Poi, passate oltre, e vedete, ad ogni angolo, i piccoli segni familiari delle abitazioni e delle occupazioni di tutti i giorni; lo sfregare della corda del secchio sul bordo del pozzo esaurito; i solchi delle ruote dei carri nella pavimentazione delle vie; il segno dei recipienti sul banco di pietra del vinaio; le anfore in cantine private, stipate così tante centinaia di anni fa, e finora indisturbate – che esprimono l'isolamento e la mortale solitudine del luogo, diecimila volte più solenne che se il vulcano, nella sua furia, avesse spazzato via la città dalla faccia della terra, e l'avesse sprofondata in fondo al mare.

Stand at the bottom of the great market-place of Pompeii, and look up the silent streets, through the ruined temples of Jupiter and Isis, over the broken houses with their inmost sanctuaries open to the day, away to Mount Vesuvius, bright and snowy in the peaceful distance; and lose all count of time, and heed of other things, in the strange and melancholy sensation of seeing the Destroyed and the Destroyer making this quiet picture in the sun. Then, ramble on, and see, at every turn, the little familiar tokens of human habitation and every-day pursuits; the chafing of the bucket-rope in the stone rim of the exhausted well; the track of carriage-wheels in the pavement of the street; the marks of drinking-vessels on the stone counter of the wine-shop; the amphorae in private cellars, stored away so many hundred years ago, and undisturbed to this hour – all rendering the solitude and deadly lonesomeness of the place, ten thousand times more solemn, than if the volcano, in its fury, had swept the city from the earth, and sunk it in the bottom of the sea.

Si ridiscende e si esce dalla città per la via delle Tombe: queste tombe sono quasi intatte; niente di più nobile delle loro forme, niente di più serio senza essere lugubre. Allora la morte non era affatto turbata dalla superstizione ascetica, dall'idea dell'inferno: nel pensiero degli antichi, era una delle incombenze umane, un semplice termine della vita, cosa grave e non orribile, che si considerava apertamente senza il brivido di Amleto. Nella casa c'erano le ceneri o le immagini degli avi; si salutavano entrando, e i vivi rimanevano in relazione con loro; all'ingresso della città, le loro tombe, disposte ai due lati della strada, sembravano una prima città, quella dei fondatori. Ippia, in un dialogo di Platone, dice che "quello che c'è di più bello per un uomo è essere ricco, stare bene, onorato dai greci, arrivare alla vecchiaia, fare dei bei funerali ai suoi genitori quando muoiono, e ricevere egli stesso dai suoi figli una bella e solenne sepoltura".

One comes down from the city and leaves it along the via dei Sepolcri: these tombs are almost whole. There is nothing more noble than their form, nothing could be more serious without being lugubrious. In those days death was not troubled by ascetic superstition, by the idea of hell. For the ancients, death was one of man's offices, a simple term of life, a grave but not a hideous matter, to be faced directly without Hamlet's shivers. At home, one had the ashes or the image of one's ancestors; one greeted them when one came in, the living stayed in dialogue with them. At the city's entrance, their tombs laid out on both sides of the street, seemed like a first city, that of the founders. In one of Plato's dialogues, Hippias says "the finest thing for a man is to be rich, in good health, honoured by the Greeks, to reach old age, to give splendid funerals to his parents when they die, and to receive himself from his own children a beautiful and magnificent burial."

Avanzammo lungo il fascio di luce proiettato attraverso le acque direttamente sulla prua del vaporetto. Era come dirigersi verso un approdo millenario. Dietro di noi potevamo ancora vedere la lunga digradante linea del Vesuvio, ritmica e magnifica, che si ergeva gradatamente sino a congiungersi con l'altrettanto ritmica e verosimilmente altrettanto solida nuvola di fumo bianco che si innalzava lentamente verso il cielo.

Il momento era indimenticabile; la memoria non ci avrebbe mai potuto tradire e togliercelo. Con l'inabissarsi del sole dietro a Capri il fumo si tinse di rosa, qualche nuvola all'orizzonte, fino ad allora grigia e opalescente, si tinse anch'essa di rosa ai bordi, l'acqua a riva, che aveva preso i toni di zaffiro fuso, divenne più profonda, e la luce, come spesso avviene in questa fase del tramonto, assunse una limpidezza magica, dando ad ogni oggetto uno strano rilievo.

We advanced along a shaft of light cast across the water directly on to the bow of the steamer. It was as if we moved to some millennial landfall. We could still see behind us the long, sloping line of Vesuvius, rhythmic and lovely, rising gradually until it joined the equally solid cloud of white smoke which coiled slowly upwards into the sky. The moment was imperishable; memory could never turn traitor and take it from us. As the sun dipped behind Capri the smoke became tinged with pink, a few clouds on the horizon, grey and opalescent hitherto, took on edges of pink also, the water at the shore's edge, which had been like melted sapphires, deepened now, and the light, as it often does at this moment of sunset, achieved a magic clarity, endorsing every object with a strange saliency.

Si osserva dappertutto, con la più viva simpatia, una gaiezza del tutto singolare. I fiori e i frutti d'ogni colore, di cui si adorna la natura, sembra che invitino gli uomini a rivestire leggiadramente se stessi e tutte le cose loro delle tinte più vivaci. Scialli e nastri di seta e fiori sui capelli sono l'ornamento di chiunque se li possa procurare. Nelle più umili case, le seggiole e i cassettoni sono adorni di fiori screziati su fondo oro; perfino i birocci a un cavallo sono d'un rosso vivo; i finimenti sono dorati, i cavalli agghindati di fiori artificiali, impennacchiati di rosso e coperti di lustrini. Alcuni portano sulla testa dei ciuffi di piume, altri delle banderuole, che nella corsa sventolano ad ogni mossa.

One of the greatest delights of Naples is the universal gayety. The many-coloured flowers and fruits in which nature adorns itself seem to invite the people to decorate themselves and their belongings with as vivid colours as possible. All who can in any way afford it wear silk scarves, ribbons and flowers in their hats. In the poorest homes the chairs and chests are painted with bright flowers on a gilt ground; even the one-horses carriages are painted a bright red, their carved woodwork gilded; and the horses decorated with artificial flowers, crimson tassels and tinsel. Some horses wear plumes on their heads, others little pennons which revolve as they trot.

Certo, nei paesi nostri un filosofo cinico sarebbe costretto a vivere fra molti disagi; nel Mezzogiorno, invece, sembra che la natura stessa inviti a vivere secondo quei principi. Qui, un uomo con l'abito a brandelli non è ancora un uomo nudo; colui che non ha una casa sua né una casa a pigione, ma che l'estate passa le notti sotto qualche grondaia o sulla soglia dei palazzi e delle chiese o nei portici pubblici, o che, se il tempo è cattivo, trova da coricarsi in qualche luogo pagando qualche spicciolo, non si può dire per questo un reietto e un miserabile. Se si considera quale enorme quantità di elementi offre questo mare pescoso, dei cui prodotti la gente deve nutrirsi per obbligo ecclesiastico due o tre giorni alla settimana; la gran varietà di frutta e di verdura che si trova in sovrabbondanza tutto l'anno; come una provincia intorno a Napoli ha meritato il suo nome di Terra di Lavoro (che si deve intendere: "terra fatta per essere coltivata") e come tutta la regione porta da secoli il titolo onorifico di "Campania felice", si comprenderà bene quanto la vita in questi paesi sia felice.

A Cynic philosopher would, I am certain, consider life in our country intolerable; on the other hand, Nature invited him, so to speak, to live in the south. Here the ragged man is not naked, nor poor he who has no provision for the morrow.

He may have neither home nor lodging, spend summer nights under the projecting roof of a house, in the doorway of a palazzo, church or public building, and when the weather is bad, find a shelter where, for a trifling sum, he may sleep, but this does not make him a wretched outcast. When one considers the abundance of fish and sea food which the ocean provides (their prescribed diet on the fast days of every week), the abundance and variety of fruits and vegetables at every season of the year, when one remembers that the region around Naples is deservedly called "Terra di Lavoro" (which does not mean the land of work but the land of cultivation) and that the whole province has been honoured for centuries with the title "Campania felice" – the happy land – then one gets an idea of how easy life is in these parts.

● ● ● *e* oltre le case con i tetti piatti, i granai, e le fabbriche di maccheroni; fino a Castellammare, con il suo castello in rovina, ora abitato da pescatori, che si erge sopra a un ammasso di scogli nel mare. Qui finisce la ferrovia; ma possiamo andare oltre, lungo una ininterrotta successione di baie incantevoli, scenari stupendi, salendo sino alla sommità di Sant'Angelo, la più alta montagna delle vicinanze, e giù sino alla sponda del mare – fra vigne, olivi, giardini di limoni e aranci, frutteti, cumuli di pietra, verdi forre nelle colline – e lungo i pendii di alture innevate, e transitando per piccoli villaggi con belle donne dai capelli scuri sulle porte – e deliziose ville estive – sino a Sorrento, dove il poeta Tasso traeva la sua ispirazione dalla bellezza che lo circondava.

● ● ● *a*nd past the flat-roofed houses, granaries, and macaroni manufactories; to Castellammare, with its ruined castle, now inhabited by fishermen, standing in the sea upon a head of rocks. Here, the railroad terminates; but, hence we may ride on, by an unbroken succession of enchanting bays, and beautiful scenery, sloping from the highest summit of Saint Angelo, the highest neighbouring mountain, down to the water's edge – among vineyards, olive-trees, gardens of oranges and lemons, orchards, heaped-up rocks, green gorges in the hills – and by the bases of snow-covered heights, and through small towns with handsome, dark-haired women at the doors – and past delicious summer villas – to Sorrento, where the poet Tasso drew his inspiration from the beauty surrounding him.

*C*apri – un tempo resa odiosa dalla divinizzata bestia Tiberio – Ischia, Procida e le mille lontane bellezze della baia, si adagiano laggiù nel mare blu, cambiando con la foschia e con il sole venti volte al giorno: ora vicine, ora lontane, ora invisibili. Il più bel paese del mondo si spiega intorno a noi.

Capri – once made odious by the deified beast Tiberius – Ischia, Procida, and the thousand distant beauties of the bay, lie in the blue sea yonder, changing in the mist and sunshine twenty times a-day: now close at hand, now far off, now unseen.

*T*he fairest country in the world, is spread about us.

Seduto sul muro di pietra al margine della spiaggia, ho disegnato, felicissimo, fino a che il sole è diventato troppo intenso per i miei occhi; poi una gita a dorso di mulo fino a Vietri, al di sopra del più bel tratto – senza eccezione – di costiera e al tempo stesso di scenario calcareo che abbia visto finora. Fantastico fino all'eccesso: archi naturali, pinnacoli, torri e pareti a non finire; colonne armoniose, guglie, massi sospesi, e tutto ricco di mirto, di rosmarino in fiore, di viole e di carrubi, con qua e là nei dirupi un bel gruppo di ulivi o di aranci, e un mare di smeraldo che rifletteva ogni anfratto con infinita purezza.

I sat very happily on the stone wall at the edge of the beach; sketching, till the sun got too intense for my eyes; and then a mule ride to Vietri over – unexceptionally – the finest piece at once of sea coast and of limestone scenery I have yet seen. Fantastic to caricature – natural arches, pinnacles, towers and walls without end; balanced columns, aiguilles, suspended boulders, all rich with myrtle, rosemary in bright blossom, violets, and the carob trees, with here and there a fine clump of olive and orange in the ravines, with absolute purity of emerald sea reflecting every crag.

La costa verso Amalfi e i pizzi del Sant'Angelo, tuttavia, sono audaci all'estremo. Via via che ho esperienza di panorami, ad ogni modo, mi riesce sempre più difficile riportare una forte impressione; in parte perché vi è, e deve esserci, un che di identico in tutti, perfino nelle vedute di montagna: gli stessi grandi profili, che ricorrono in perpetuo. Una rupe calcarea è più o meno la stessa cosa a Cheddar, nel Giura, e qui. Eppure ieri pomeriggio, quando dopo un pesante acquazzone mi sono avventurato su per il sentiero lastricato a ovest del villaggio, ho avvertito alcune delle mie antiche sensazioni.

Le rocce erano simili a quelle tra le quali usavo inerpicarmi nei miei giorni più felici, ma erano ombreggiate da ulivi, e diverse nere figure di preti, mescolate alla gente dagli occhi splendidi del contado, si muovevano su per i pendii. Il tramonto accendeva i pizzi del Sant'Angelo, e un suono smorzato di dolci rintocchi saliva dai bianchi campanili del villaggio.

The coast toward Amalfi and the peaks of St. Angelo, however, are bold in the extreme. As I get experience in scenery, however, I find it more and more difficult to get a strong impression; partly because there is, and must be, a sameness in all, even mountain scenery; the same great outlines perpetually recurring.

A limestone crag is something very much the same at Cheddar, and among the Jura, and here. Yet yesterday afternoon, when I got out after a heavy shower up the paved walk to the west of the village, I had some of my old feelings. The rocks were like those I used to scramble among in my happiest days, but they were shaded with olives, and several dark figures of priests, mixed with fine eyed peasants, moving up the slopes; the sunset warm on the cliffs of St. Angelo; and the low sound of sweet bells coming up from the white towers of the village.

Nel capitolo quinto della sua *Storia naturale*, Plinio ritiene la sola Campania degna d'una descrizione diffusa.

"Questa regione" egli dice "è così felice, così deliziosa, così fortunata, che vi si riconosce evidente l'opera prediletta della natura. Perché quest'aere vitale, questa perpetua mitezza di cielo, questa campagna così fertile, questi colli solatii, queste foreste così sicure, questi recessi ombrosi, questi alberi fruttiferi, queste montagne perdute fra le nubi, queste messi sterminate, tanta copia di viti e di ulivi, e greggi dalla nobile lana e tori così pingui, e tanti laghi e tanta dovizia di acque irrigue e di fonti, tanti mari e tanti porti! Una terra che porge da ogni parte il suo seno ai commerci e che, quasi per incoraggiare gli umani, stende ella stessa le sue braccia nel mare!

Non parlo dell'indole del suo popolo, dei suoi costumi, della sua potenza, né degli altri popoli che essa ha conquistato mediante la sua lingua e con le sue armi. Un popolo come il Greco, solito a magnificar se stesso oltre misura, ha pronunciato il giudizio più onorifico di questa, chiamandone una parte Magna Grecia".

Pliny, in chapter V of his Historia naturalis, considers Campania worth an extensive description.

"In what terms to describe the coast of Campania taken by itself, with its blissful and heavenly loveliness, so as to manifest that there is one region, where Nature has been at work in her joyous mood! And the again all that invigorating healthfulness all the year round, the climate so temperate, the plains so fertile, the hills so sunny, the glades so secure, the groves so shady! Such wealth of various forests, the breezes from so many mountains, the great fertility of its corn and vines and olives, the glorious fleeces of its sheep, the sturdy necks of its bulls, the many lakes, the rich supply of rivers and springs, flowing over all its surface, its many seas and harbours, and the bosom of its lands offering all sides a welcome to commerce, the country itself eagerly running out into the seas, as it were, to aid mankind. I do not speak of the character and customs of its people, its men, the nations that its language and its might have conquered. The Greeks themselves, a people most prone to gushing self-praise, have pronounced sentence on the land by conferring on but a very small part of it the name of Magna Graecia."

Non ho visto altro, di Amalfi, che quello che ho disegnato, ma era meraviglioso. Sempre al di sopra di quanto mi aspettassi: quando all'arrivo sono balzato giù dal mulo, poi nel sole ardente del pomeriggio, e infine con la luce dietro i monti, raddoppiati in altezza dalla bruma della sera: mai avevo visto niente di paragonabile, nel genere. Il chiaro di luna, sulla terrazza antistante la locanda, quanto mai suggestivo: un mare d'olio e, in alto, un bianco convento, con le ombre nette delle rocce ancor più in alto e la risacca che per tutta la notte mi è risuonata nelle orecchie, in modo sommesso, ma rapido e impaziente. Mai avevo udito onde susseguirsi tanto velocemente.

Saw no more of Amalfi than I sketched, but that was glorious. Far above all I ever hoped, when I first leaped off the mule, in the burning sun of the afternoon, with the light behind the mountains, the evening mist doubling their height – I never saw anything, in its way, at all comparable. Moonlight on the terrace before the inn very full of feeling, smooth sea and white convent above, with the keen shadows of the rocks far above and sea dashing all night in my ears, low, but impatiently and quick. I never heard waves follow each other so fast.

*Q*uando tutto è stato dipinto, tutto è stato descritto,
c'è ancora da rendere un effetto magico che esiste
nell'aria, che colora ogni cosa, e che fa sì che ciò
che conosciamo negli altri climi qui non sembra più lo stesso,
e diventa nuovo.

*A*fter painting everything, describing
everything, you still have to render a
magic effect that is in the air, that
colours all things, and that makes even those one knows
in other climates no longer look the same, and
become new.

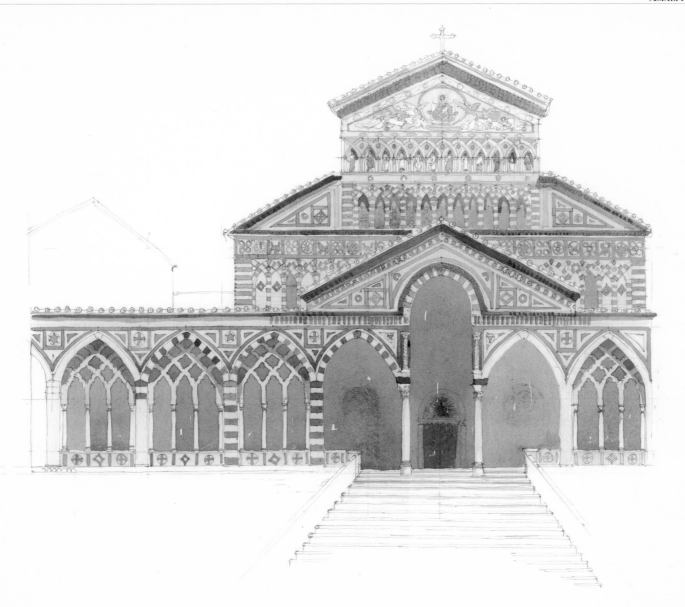

Bibliografia

Charles de Brosses, *Lettres familières d'Italie*, 1739

Vivant Denon, *Voyage au royaume de Naples*, 1778

Alexandre Dumas, *Le Corricolo*, 1850

Charles Dickens, *Pictures from Italy*, 1846

Monk Gibbon, *Mount Ida*

Johann Wolfgang Goethe, *Italienische Reise*, 1787

Curzio Malaparte, *La pelle*, 1948

Michel Guyot De Merville, *Voyage historique en Italie*, 1729

Paul Edme De Musset, *En voiturin, courses en Italie et en Sicile*, 1885

Henry James, *Italians hours*, 1909

Alphonse De Lamartine, *Mémoires inédits*, 1870

John Ruskin, *The diary of John Ruskin*, 1956

Donatien Alphonse François De Sade, *Voyage d'Italie*, 1775

Hippolyte Taine, *Voyage en Italie*, 1866

Mark Twain, *The innocent abroad*, 1869

Emile Zola, *Mes voyages*, 1893

Stampa Palombi Editori
marzo 2002